郑栗儿/著

钟淑婷/绘

大师密码 A-Z系列

大师密码M

百变不惊的小黑炭

人民东方出版传媒
People's Oriental Publishing & Media
東方出版社
The Oriental Press

图书在版编目（CIP）数据

大师密码 . M, 百变不惊的小黑炭 / 郑栗儿著；钟淑婷绘 . —北京：东方出版社，2015.11

ISBN 978-7-5060-8737-7

Ⅰ. ①大… Ⅱ. ①郑… ②钟… Ⅲ. ①儿童故事—作品集—中国—当代 Ⅳ. ① I287.5

中国版本图书馆 CIP 数据核字（2015）第 267079 号

大师密码 M：百变不惊的小黑炭
（DASHI MIMA M: BAIBIANBUJING DE XIAOHEITAN）

作　　者：郑栗儿
绘　　者：钟淑婷
产品经理：张媛媛
责任编辑：张媛媛
出　　版：东方出版社
发　　行：人民东方出版传媒有限公司
地　　址：北京市东城区朝阳门内大街 166 号
邮政编码：100706
印　　刷：小森印刷（北京）有限公司
版　　次：2016 年 3 月第 1 版
印　　次：2016 年 3 月第 1 次印刷
印　　数：1—5 000 册
开　　本：720 毫米 ×950 毫米 1/16
印　　张：5
字　　数：48 千字
书　　号：ISBN 978-7-5060-8737-7
定　　价：18.00 元
发行电话：（010）64258117 64258115 64258112

目 录

出版前言

每个父母都希望孩子未来能出类拔萃，并在孩子的教育问题上倾尽心力。

许多孩子长大后成熟乐观，在社会上如鱼得水，但不少人成年后并不快乐。他们即使地位显赫、经济条件优越，依然郁郁寡欢。带来快乐的因素有很多，其中起决定作用的则是人格。面对同样的问题，不同的人格往往造就不同的结果。

怎样才能培养健全的人格？我们不妨到传统文化中去寻找答案。几千年来，儒、道、佛相得益彰，共同塑造着国人的精神世界。儒家关切社会的治理，道家关怀生命自然状态的保持，而佛家则关心人生痛苦的解除。故此，历史上就有“儒家治世、道家治身、佛家治心”的说法。

今天很多人习惯于将佛教简单理解为一种宗教，有的人甚至认为它是封建迷信。如果去掉宗教的外衣，它其实是一座充满智慧，兼具心理、品德教育功能的文化宝库。

为此，我们从台湾引进了这套“大师密码”A–Z系列。这套书以130个佛教大师的成长故事，体现了130个美好的人格特质。沉着、孝顺、无畏、远见……从这些有趣的故事里，孩子们不但可以学会如何获得成功，更能明白如何倾听内心的声音，获得快乐。

这套书结构编排巧妙，集合了台湾优秀的作家及插画师。书中故事生动活泼，插画精美，在台湾广受好评，曾获得台湾“第27次中小学生优良课外读物推介”。相信它同样会得到大陆青少年朋友的喜爱。

大师的密码　成功的特质

在我还是青少年时，就很喜欢阅读佛教大师的传记故事。可以说，我的人格就是从阅读大师的史传故事，点点滴滴建立起来的。

不论大人、小孩都喜欢读故事，法鼓文化历时两年的筹备，制作了这套有丰富精美插画的“大师密码”A–Z系列。这套书中，选出130个“大师的美好特质”，一个特质就是一个大师故事，让孩子在趣味的故事中自然吸收大师的养分。

我曾指出佛教的高僧必须具有四大条件：持戒清净、修行精进、慈悲济众与护持佛法；如果转换成现代人的语汇，就是自律、认真、宽大、懂得回馈，而这些正是所有成功人士必备的条件。

很多家长以为孩子学佛会变得消极、不具竞争力；如果从大师的四大条件来看，这样的想法完全错误！孩子接触佛法绝对会更积极、健康，能为他们的一生奠定稳固的基础。

大师们的成就绝非偶然，也没有人一出生就是大师，父母应该提供这样的环境，让人格正在成长形塑中的孩子，吸收历代大师们的生命菁华，转化为他们自己的。我相信这一套“大师密码”A–Z系列，能够成为孩子们成长的助缘！

聖嚴

台湾法鼓山禅修文教体系创办人

百变不惊的小黑炭

大师密码 Moderate 稳健

皮肤黝黑的道安，从小就长得像只丑小鸭，不光别人嫌他丑，连师父都当他是傻瓜，他却能稳健地储备自己的实力。长大后就像一只不鸣则已、一飞冲天的“黑天鹅”，只要他一开口说法，渊博的学问总能让人刮目相看。

前秦王苻坚为了借重他的智慧治理乱世，还不惜发动十万大军抢人。苻坚非常敬重道安，经常向他请教。道安劝苻坚不要发动淝水之战，苻坚却过度自信开战，招致惨败，他才很后悔没听道安的劝阻。

道安这位时代的先知，在战火四起的中国魏晋乱世中，不受纷乱的战局影响，稳健地展开大规模整理佛教经论的工作，制定与统一了适合中国的佛教仪轨与僧团教规，让佛教能在中国发展成型，并开枝散叶。

小档案 道安

- 国籍：中国
- 别称：东方圣人、漆道人
- 专长：译经、建立制度
- 影响：提倡僧人姓释，制定僧团戒规、仪轨
- 事迹：不受战乱影响，稳健地制定僧团仪轨、整理佛典

青蛙在田里跳来跳去，正享受着春天的喜悦，眼前忽然冒出一个黑黝黝的少年，吓得青蛙“呱”的一声逃走了。这少年长得真的太黑了，像一块会移动的木炭，在田里来来回回不停地插秧。

“道安！我们要先回去念经，剩下的秧苗就交给你了。”一起在田里工作的师父，带着其他人先回佛寺，只留下小黑炭，继续努力插秧。

“好啊！没问题！”小黑炭露出洁白的牙齿，笑得跟阳光一样灿烂，他再度弯腰插秧，愈干愈有劲。

因为长得又黑又丑，道安很容易被师父忽略，常常被吩咐去做这做那，却没有帮他上课，但道安从不抱怨师父对他的不公正，总是把该做的事做好，因此让师父很放心。

就这样过了三年，道安总算能趁着休息时间，坐在田埂上，小心翼翼地从怀里拿出一本经书，仔细地阅读。

这本宝贵的经书，可是师父一大早才交到他手中的，原来昨晚道安终于忍不住，开口向师父请求教他读经，看在这几年来道安这么认真工作的份儿上，师父在他下田工作前，交给他一本五千字的《辩意经》作为鼓励，心想：“这孩子很善良，可惜长得像块黑炭。”

黄昏时，道安扛着锄头回到寺里，一见到师父便说："师父，请再给我另一本佛经。"

师父疑惑地问："早上不是才给过你一本？"

道安把那本佛经还给师父说："这本我已经背好了！"

虽然有点儿惊讶，但师父还是拿了另一本一万字的佛经给他，第二天道安同样利用耕作休息的时间，便把整部经都记在脑子里，回到寺里对师父说："师父，我又背好了。"

师父不相信，说："那你背给我听听。"

道安从容不迫、一字不漏地背了一遍，惊得师父满头是汗："没想到小黑炭是个读经天才，我真不该以貌取人！"

从此，师父就让道安尽情地读经，直到有一天，师父跟他说：“我已经没有什么可以教你的了！你应该去跟更有学问的高僧学习。”道安这才拜别了师父，到外地去求法。

道安来到北方，有人指点他可以去找当时名闻天下的佛图澄❶大师，一百多岁的佛图澄一看到他，马上叹了一口气，道安原以为是同情自己长得太黑、太丑了，没想到佛图澄竟是称赞他：“我这么大年纪了，还没遇见过像你这样特别的人！”两人谈起佛法，大有相见恨晚之感。

❶ **佛图澄**：西域龟兹僧人，于西晋永嘉战乱时至洛阳，为石勒讲说佛法。佛图澄在三十八年内，建寺近九百所，广收弟子近一万人，让佛教能在中国普传。

虽然佛图澄很看重道安，但别人对他其貌不扬的外表，还是很轻视。每次讲经时，佛图澄都叫道安重复讲一次，一开始还好，时间久了，其他僧人纷纷表示不满:“那个黑炭凭什么上台讲经？除非通过我们这一关，否则就要他下台！”

大家你一言、我一语地提出一大堆佛学难题，准备要考倒道安。但道安一点儿也不慌乱，他站在讲经台上，从容地回答每一个问题，说得条理清晰，展现了他深藏不露的佛学内涵，所有批评他的人，到后来都佩服得五体投地:“这个黑僧人，真是惊四邻哩！没想到他这么会说法！”道安因此声名鹊起。

东晋时期政局纷乱不定，战事连连，佛图澄过世后，道安带着师兄弟和弟子们过着流亡的生活。后来他在襄阳城里住了下来，由于这里社会环境比较安定，道安造了一座有五层佛塔[2]、四百多间僧房的新寺庙，安置了座下的四百多位僧人。

[2] **佛塔**：安置佛舍利的地方。

要带领这么多人可不是件容易的事，道安制定出完整、稳健的法规制度，让僧人们能融洽相处，这也是中国最早出现类似佛陀僧团[3]的佛教出家人团体，他还为中国出家人定姓氏为“释”，他自己就是“释道安”。

[3] **僧团**：佛教的出家众团体。

一天，襄阳辩才无碍的名流习凿齿，突然登门拜访，他一踏进佛殿，劈头就来了这么一句："四海习凿齿！"意思是他的辩才四海之内，没有对手。

面对习凿齿的考验，道安不为所动，笃定地回了一句："弥天释道安！"意思是全天下也只有一个道安了！

隔了一秒钟，两人哈哈大笑，习凿齿说："大师果然名不虚传！"

道安笑答：“哪里，咱们平分秋色！”之后，两人更加惺惺相惜。

习凿齿看见道安师徒们整天讲经，全心钻研佛法，每一位僧人都很有佛学造诣，而且吃斋持戒，严守规矩，彼此间互相尊重，连走路都礼让他人先行，这种僧团的和乐景象，真是前所未见。后来他写信给东晋的宰相谢安时，还大大地称扬道安是一位非凡的求道之士呢！

道安禅师的风范，连北方的前秦王苻坚也十分景仰，甚至出动十万大军攻下襄阳，为的就是迎请道安。

“师父，怎么办？苻坚的军队就快攻进城了。”弟子慧远赶来禀报情况。

“别急，现在正是你们独当一面的时候，我分配你们到各个地方去弘法。”面临危乱的局势，弟子们多半不知所措，但是道安禅师神色自若，稳健地布局，一步步将弟子们遣散到四处弘法，以扩展佛法的力量。

“可是，师父您呢？您不走吗？”弟子们着急地问。

“我得留下来，我如果走了，苻坚的军队会放过襄阳的老百姓吗？”

弟子们一听，立刻泪流满面，道安禅师笑着对众人说：“你们每一位都是师父的化身，在佛法的智慧之流中，我们何曾分离过呢？去吧！把佛法的种子散播出去吧！”

苻坚的大军进入襄阳城后，城中一片混乱，百姓惊惶不已，只见道安禅师一如平时般泰然自若。

往后数年，道安禅师一直在前秦国都长安讲经、译注，成为了北方佛教的领袖。道安还劝苻坚不要南征东晋，但野心勃勃的苻坚不听，终于在淝水之战中吃了败仗，国力开始衰落，苻坚很后悔开始没听道安禅师的话。

在混乱的年代，道安游走在不同朝代，一生像一场大冒险，但这却为中国佛教僧团扎下稳健的根基，当初的小黑炭，谁想到竟能成为中国佛教的先锋领袖呢？

坐下的奇迹

大师密码 Meditation 静坐

你如果认识小时候的须菩提，可能会被他吓坏的，因为他就像一座活火山，动不动就发脾气乱骂人，不但亲戚朋友都讨厌他，连他本人都受不了自己的坏脾气，决定躲进深山。

幸好他遇见了佛陀，教自己静坐，后来变成了一位人人敬重的修行者。学会静坐后的须菩提不只脾气变好，也锻炼出智慧来。

须菩提被尊为佛陀所有的学生中，最了解空性智慧的人，他不论遇到好人、坏人、好事、坏事，都能够以平和的态度来面对，带给人们大地一般稳固的安定力。虽然须菩提领悟力很强，但在佛陀讲课时，经常会谦虚地替大家发问，所以大家都非常感谢他的体贴。

小档案 须菩提

- 国籍：印度
- 尊称：佛陀十大弟子解空第一
- 专长：禅坐、辩论
- 影响：证悟空性的代表人物
- 事迹：静坐修行

又是谁惹了须菩提？瞧他满脸怒气，嘴里骂个不停的样子。其实，没有谁惹他，是他自己不小心撞到门边的墙，气得他一直在骂墙。

他的爸爸坐在一旁实在看不过去了，忍不住说：“墙也没惹你，是你自己去撞墙为何还骂墙？”

他不高兴地回了爸爸一句：“我高兴骂谁就骂谁，你别管！”

这时，门外出现了一头四处闲逛的牛，它哞哞叫了两声，须菩提转头对牛大吼一声：“走开！叫什么叫！”

爸爸受不了他的坏脾气，忍不住也发火：“连路过的圣牛你也骂！亏你从小就这么聪明会读书，但是脾气真是坏得不得了。你一天到晚骂东、骂西，骂人、骂狗、骂鸟，所有的亲戚都被你得罪光了，连一只动物也不敢出现在你面前，每次叫你改都改不了，你干脆自己搬出去住好了！真是受够你了！”

谁也没想到，有一天须菩提真的离家出走了！因为他也受够了自己爱乱发脾气。每一次发完脾气，身体就好像脱了一层皮，感觉很沮丧，他觉得自己很愚蠢，干吗要乱骂人？可是他就是管不住自己的坏脾气。

须菩提跑到山上，选了一棵巨大的菩提树，准备练习静坐，学习控制一下自己的脾气。坐在树下没多久，他却被风吹舞的树叶摩挲声，吵得坏脾气又快爆发了，站起来刚想对菩提树开骂，眼前却意外地出现了一位智慧尊者——佛陀，对他展开了安详的笑容，须菩提的心立刻沉静下来。全身散发着柔和气息的佛陀，一开口说话，就像天空降下的霖雨，熄灭了须菩提的躁怒："这么爱发脾气可不是件好事噢！"

须菩提也很懊恼：“我也知道发脾气不好，可是不知道为什么，就是那么爱生气！”

佛陀说：“那是因为你以前动不动就发脾气，结果变成了一种坏习惯，下次试试看，当你快要生气时，先吸一口气，冷静三分钟，你会发现过了三分钟后，火气自然就消了！”

须菩提一听，觉得佛陀真是好厉害，竟然想出这种不生气的妙招，他决定追随佛陀。而佛陀也进一步教导须菩提如何静坐，以调整自己的情绪。

每天一大早，太阳还没升起时，须菩提已经在竹林里静坐了。一开始，他还是很容易受外界的影响，虫鸣鸟叫，或者清晨一滴从叶间掉落的露珠，都会让他分心。

慢慢地，须菩提已经能够把注意力集中在呼吸上了，但是头脑中一大堆乱七八糟的念头，还是常常出现并干扰他。后来他学会不去理会这些念头，仍然把注意力集中在呼吸上。

尽管如此，须菩提还是没办法坐太久，因为他盘着的腿会酸，他也不勉强自己一定要静坐很长时间，而是每天多加五分钟，这样持续几个月后，他已经可以坐上一整个早晨了。

在静坐的时候，须菩提享受到前所未有的平和与宁静，连飞来的鸟停在他肩膀上，他也不受影响，鸟都以为他已经变成一棵静默的树了。在深沉的禅定中，他的坏脾气早就飞入九霄云外，再也没有什么事可以让他发怒了。

须菩提的改变真是让人吓了一跳，但是佛陀一点儿都不觉得奇怪，他对大家说：“静坐的喜悦之路，是每一个人都可以做到的！就像原本心浮气躁的须菩提，现在静坐的功夫都超越大家了！”须菩提非常感动，别人都以为自己的坏脾气已经没救了，只有佛陀不放弃他，还教他静坐的方法，彻底地改变了自己。

有一次在舍卫国的祇树给孤独园[1]，大家用完餐后，正盘腿而坐，等待佛陀说法，这时须菩提走到佛陀面前，恭敬地请问：“世尊，请问该怎样让我们的心安定下来呢？”

须菩提提到的这个问题，正是同门许多僧人的困扰，佛陀点头称赞：“嗯，问得好，这个世界上所有的事物，就像梦幻泡影一般，没有恒常不变的道理。所以，不执着于世间的一切，心就会安定下来。”

[1] **祇树给孤独园**：又称祇园精舍，位于印度舍卫城，是佛教史上的第二座佛寺，为给孤独长者与祇陀太子共同供养佛陀说法的道场。

须菩提完全能领会佛陀所说的意思，这也是他在静坐中所得到的体认，须菩提欢喜地流下了眼泪，并向佛陀道了谢。

佛陀外出说法，三个月后才会回来，大家都非常想念他，好不容易等到三个月过去，佛陀终于要回来时，人还没到达僧团，弟子们已经争先恐后抢着去迎接了。

正在灵鹫山❷石窟内缝衣服的须菩提，本来也想亲自去迎接佛陀，但转念一想，还是回到了原位，他心想："我现在去迎接佛陀是为了什么呢？佛陀的精神是无处不在的，既然如此，我何必执着于佛陀的肉身？佛陀的精神一直在我的身边，从来没有离开过！"于是他的心又安定下来，继续安然地缝衣服。

❷ **灵鹫山**：简称灵山，又称耆阇崛山，位于中印度摩揭陀国王舍城东北，为重要的佛教圣地。由于山形像鹫头，而且山中多鹫，所以得名。

第一位抢先接到佛陀的比丘尼莲华色❸，高兴地对佛陀顶礼：“弟子莲华色最早赶来迎接佛陀，以表示内心无比的敬意。”

佛陀摇头笑着说：“第一个迎接我的人，并不是你，而是须菩提。因为你只迎接到我的身体，而须菩提迎接到了我的精神。”在场的所有人都很惭愧自己太执着于表面，对于佛陀教法的体会，不及须菩提来得深刻。

❸ **莲华色**：印度僧人，被尊为“佛陀比丘尼中神足第一”。

尽管须菩提的生活和心境已如此超脱自在，但还是有人批评他："他每天都呆坐在那里，这样哪儿叫作有禅定功夫？简直跟木头没什么两样！"

须菩提总是沉默不应，有些比丘看不过去，要他出面为自己辩解，须菩提反而心平气和地劝他们说："我要辩解什么呢？如果大家嫌我站不好的话，我就坐着不起；厌恶我坐不好时，我就站着不动。如果能够事事随缘，该如何做就如何做，便能不生烦恼！"

从一个爱生气到一个好脾气的人，静坐带给须菩提多大的转变啊！

我愿意做最后一名

大师密码 Modest 谦虚

印光从小就是个药罐子，他饱受眼疾之苦，因此经常整天啼哭不停。直到长成了青少年，他还是大病小病不断，眼睛常常红肿到无法读书的地步，后来有人建议他念佛，让佛的慈悲力来帮助他治病。说也奇怪，只要他一心一意地专注念佛，病痛还真就不药而愈了。

他在二十一岁那年随道纯法师出家，二十六岁时到净土宗的红螺山资福寺念佛，后来他在普陀山法雨寺一待就是二十多年，早晚都只专心读经与念佛，不求名利。后来他的文稿被报纸刊登，成为广受欢迎的佛教作家，影响深入人心。

印光一生坚守“不当住持，不收徒众，不登大座”的三大原则，淡泊名利，刻苦俭朴，被尊为民国以来净土宗第一高僧。

小档案 印光

- 国籍：中国
- 名字：赵绍伊
- 尊称：净土宗第十三祖
- 专长：念佛、写作
- 影响：为民初四大师之一
- 事迹：自称为“常惭愧僧”

北京的冬天非常寒冷，正要去市政府上班的徐蔚如，和一位贩卖书报的老头儿交错而过，正好有新一期的《佛学丛报》，笃信佛教的他便顺手拿了一份。

在有暖气的办公室，徐蔚如翻开刚买的报纸，一篇笔名为常惭写的文章映入眼帘："我们的情绪其实是很粗暴的，所以我们一定要小心谨慎来处理情绪，所有粗暴的心都是因为傲慢而起，以为自己是世界上最重要，所以我们对待一切人要有惭愧的心，要时时作我事事不如人想，这样粗暴之气就不会产生……"

“说得多好啊！”徐蔚如一边赞叹，一边好奇地想：“这位常惭是谁呢？”

他联系了上海佛教界的朋友们，向他们一一打听消息，总算其中有一位传来了答案：“常惭就是印光和尚啊！《佛学丛报》曾向印老要了几篇文章登在报上，印老谦虚得很，直说自己德行不够，不肯写，后来才勉强答应，却坚持用笔名‘常惭’发表。”

徐蔚如听后，这才恍然大悟：“噢！原来是那位认真念佛的印光大师，怪不得能写出这么富有启发性的文章。”一个念头从他心中升起：“印老的文章如果能结集出书的话，那就太好了。”

为此，徐蔚如特地南下普陀山亲访印光，请求出版他的著作。

大殿上，一位朴实的老僧人，正静静地诵念着佛号，他的脸上专注而安详，似乎所有的尘埃都碰不到他。整个早上过去，几万声佛号在天空飞过，徐蔚如耐着性子等啊等，他心想："这老和尚真有念佛的耐力。"相较于自己的心浮气躁，不禁惭愧起来。

印光大师总算步出大殿了，徐蔚如上前表明来意，印光礼貌地回绝："文字是千秋大业，像我这样一个无足轻重的人，怎么有资格出书呢？"

徐蔚如连忙劝说："印老，出书也是一种推广佛法的方式，不见得是沽名钓誉。您的文章深入浅出，句句出自佛法真义，读过的人都觉得非常受用！"

印光大师听后沉默不语，他慢慢走回僧房，拿出几篇信稿，交给徐蔚如。徐蔚如喜出望外，手握着印光珍贵的手稿赶回北京印行，果然一出版就引起了佛教界的轰动，如新雨般涤洗人心；隔两年，发表过的信稿已增加到二十多篇，便重新印行，改版为《印光法师文钞》后风行全国，不但佛教界人士称赞为三百年来难得一见的书，连在监狱服刑的犯人读后，也感动得直落泪。

可这些表面的风光，印光大师一点儿也没放在心里，他一如既往地待在普陀山，除了念佛还是念佛，细数他在普陀山的日子已整整二十五年了，后来为了要印经，他才勉强下山活动。

在收拾行李时，印光看着这即将暂别的藏经楼，当年悠游佛经大海的画面，仿佛仍历历在目：“真是一段快乐的时光，晒经、读经……”。他喜欢这份管理全寺藏经的工作，更爱念佛，念佛治好了他的眼疾，也打开了他的心灵，令他通往一个美好的西方净土世界。当时印光大师禁不住寺众们一再要求讲经的请求，只好答应下来，讲完后得到了广泛好评，但对这位谦虚木讷、不善于表现的老实人而言，却自觉所学的太浅、太少，索性在小屋闭关，专心念佛，研习佛典，这一闭关就是六年，印光大师完全乐在其中，不以为苦。

这一趟去扬州刻经处印经的行程，由于人生地不熟的原因，印光大师便请高鹤年居士陪伴同行，办完事后回到上海，高鹤年说：“师父，上海著名的几间大佛寺我都熟，看您要在哪里挂单❶？”

印光大师推辞说：“你熟人多，如果你陪我去，别人一定得客气办斋，我们不过是普通人，哪里需要这种铺张呢？”高鹤年只好找了一所偏僻的小庙让他住下来，几位上海名流也赶来拜会，印光大师与他们谈佛法，大家听了很欢喜，准备财物要供养他，印光却谦谢不肯接受。

❶ **挂单**：僧人出门在外，借住于寺院。

公元一九二二年，为了表彰印光大师教化一方的功德，大总统徐世昌特别将一块“悟彻圆明”的匾额，派人送到普陀山，只见锣鼓喧天，鞭炮四起，一起送来的还有满室香花，简直是盛极一时的荣耀，印光大师却淡然处之，好像没这件事发生一样，事后连匾额也不知跑到哪里去了。

有一天，帮忙校经的德森法师，读到一本马契西居士为印光大师所写的传记，提到赠匾一事，他笑着问印光：“师父，大总统曾经送匾额给您啊！”

印光大师说：“这是编造的谣言，再说下去，只会增加我的惭愧。”

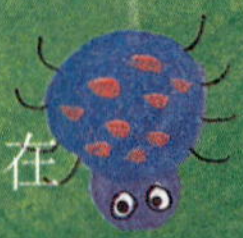

印光大师虽不承认，德森却在整理东西时，在大殿高处找到了这块匾额，他擦去上面的灰尘，上头果然题着“悟彻圆明”四个大字，德森本来想对师父说：“师父！匾额在这里！”

但他一转头看见印光大师专心念佛的样子，又笑着把匾额放了回去，心里自言自语地说：“我真是个俗人，师父哪儿会在意这种俗事！”

不喜欢虚名浮华的印光，日常生活更是十分俭朴。有一次，关䌹之居士准备了丰盛的斋宴要招待他，他特别跟对方叮嘱：“不必费心，只要馒头和豆渣两样就可以了！”还有一次，关居士来向印光大师请益，跑遍寺院的各处，就是找不到人，后来在天井下看见他老人家正蹲在那里搓洗衣服。

在印光的眼中，全世界最不重要的人大概就是他自己了！他对自己如此苛刻，却事事为他人着想，人们供养他的财物，他都拿去印书印经了。刘镇华兵围西安，饿死数万人，印光把原本要印书的款项汇去赈济，后来陕西发生了大旱灾，他也立刻拿出了存折汇款，只留下四百圆当寺院的费用。

“静坐常思己过，闲谈莫论人非。”印光大师一生留下无数嘉言，影响至今，每一则都是他谦虚自省的生动写照。

不一样的律师

大师密码 Morality 持戒

唐朝的道宣是中国佛教史上一位影响深远的“大律师”。出身于书香世家，十六岁就出家学律的他，曾经因为嫌研读律法无趣，差点儿想改当“禅师”去了，直到体会了戒律的重要，才一门心思地研究下去。

他的转折点是受到智首、智颛两位师父的教导，他们让他了解做任何事都要持之以恒，所以道宣终生以律学为修行方向。著作丰富的道宣，作品不但风靡当时的佛教界，连现代中国的出家人，也是以他作为研习律学的楷模。由于他长年住在终南山仿掌谷，专心弘扬佛教的四分律，所以他的宗派便被称为“南山律宗”。

道宣律师一生护法不遗余力，唐高宗李治曾规定出家人要跪拜君王，为守护佛教的律仪，他力争免除跪拜，最终护法成功。

小档案 道宣

- 国籍：中国
- 世称：南山律师
- 专长：写作、研究律学
- 影响：为南山律宗始祖
- 事迹：严谨持律，并致力弘扬律学

炎热的夏天气温快到四十度了，青年和尚道宣被热得有点心浮气躁，白皙的脸上冒出一滴一滴的汗珠；一旁的智首律师却无动于衷，依然正经八百地讲着一长串的律学。

从这个夏天开始，智首律师每天都为道宣讲《四分律》[1]，要他好好学习戒律。道宣强忍着酷热，专心听着师父讲学，这一天总算挨到了午后，智首律师点头说："好啦！讲完了！现在你有什么问题呢？"

[1]《四分律》：是律宗所依据的根本典籍，也是中国流传最广、影响最大的佛教戒律。

从小就被称为读书天才的道宣，听完一遍律学后，自以为都懂了，心想：“这律学也没什么嘛！只教你不犯这个戒或那个戒就好了，还真的有点儿无聊。”现在他最高兴的是，终于可以去外头吹吹风、消除暑热了。

但既然师父问起，也不好不回答，便顺口说：“师父讲的戒律我都懂了，下次可以改教我禅法！禅法比律学活泼多了，瞧那些禅僧一个个看起来多么潇洒自由啊，比起整天只知道守戒，行为呆板的律师，更让人向往。”智首律师听后，当场脸色一沉，但也没再说什么，便起身离开了。

过了两天，道宣的剃度师父智颧把他叫过去，一开口就说：“把《四分律》背一遍给我听！”

道宣愣在那里，智颧师父盯着他干着急的脸问：“你不是都懂了吗？”

道宣低头回说：“只是懂了，还没来得及背。”

智颧师父语气严厉地说：“做人、做事、做学问，就像盖房子一样，要一步步稳扎稳打，从根本做起。佛陀去世时，一再叮嘱弟子们将来他不在了，所有的行为准则都要以戒为师，可见戒律是佛法最重要的根本，你还没学会走路，就想在天空中飞行，真是一点儿都不成熟！”

道宣汗如雨下，低头忏悔：“师父，我知错了！”

智颧师父的语气和缓下来：“我们修习各种法门，一定要专心钻研，才能有所成，你再听二十遍律学后，才能去学禅！”

听得心服口服的道宣，从此虚心地跟随智首律师学律，反复又听了二十遍《四分律》，智首师父一字一句耐心地教导道宣，让他领悟隐藏在戒律背后的深意。

每一次道宣重听律学时，感受都比以前更加深刻，上完最后一次律学，智首师父问他：“现在你对持戒的看法如何？”

道宣想了想回答：“以前想到持戒，会觉得很严肃、很困难，现在才知道戒律是在保护我们，也是在帮助我们离开痛苦，得到快乐。就像一个学堂如果没有规矩，每个人都大呼小叫，那老师上课谁听得到呢？而一个国家人人不守法的话，不久就该灭亡了！”

智首师父露出赞赏的笑容，说：“重听这二十遍律学，虽然浪费了宝贵的六年时光，但现在，你已经是一个成熟的律师[2]了！”

二十遍律学，果然为道宣稳健地打下了一生的律学基础。为求更进一步证悟，道宣隐迹在终南山的山谷中，修行戒律，他的衣服都是用粗糙的纻麻制成，吃饭也只吃豆类。当时有一位淡泊名利的孙思邈隐士，也隐居在终南山，两人因此成为了好朋友。

[2] **律师**：专门研究、解释，并读诵律的佛教僧人。

有一次两人在山林里行走，年长的孙思邈走在后头，看着前方的道宣手拿着一根木杖，却不用来撑地，而是一直往前路挥来挥去，便忍不住好奇地问：“小老弟，我以为你今天脚不好，要拄着拐杖行走，哪知你一直挥舞着那根棍子，真搞不懂！”

道宣手没停地笑答：“我是在驱赶虫蚁，怕不小心踩到了，就白白误杀一条生命。”

孙思邈虽然也是求道之人，但对于佛教戒律却不是那么了解：“佛教戒律的不杀生，不是指杀人吗？”

道宣回说：“天地间所有的动物和昆虫，或许没有人类的悟性，但一样具有灵性，面对死亡也会产生痛苦和恐惧，所以佛教讲的不杀生，是指所有的生命，而不杀生的正面意义，就是要我们懂得爱护、尊重所有的生命。”

孙思邈听后恍然大悟："难怪我每次看你都坐在床沿上，也不会往后面靠一些，原来是怕压到虫子；还有一次我看见一只跳蚤在你身上跳来跳去，你也不拍打，我本以为你是反应迟钝，现在才知道你这是在持戒啊！能在这些生活细节上严守戒律，你真是了不起！"

道宣回说："哪里！其实虫类都能感受到你的善意，久了就会自动迁离消灭，不会让你费心！"

孙思邈脑筋一转：“对！以前这附近有很多猛兽出没，现在连一只也没出现过，看来都被你驯服了！”说完，两人相视一笑。

山灵水秀的终南山，因为道宣的关系，成为南山律宗的发源地，道宣将十多年持戒的心得，整理并书写下来，但他觉得还是有不足之处，便暂时离开终南山，四处拜访各个守戒严谨的高僧，让自己更加成熟。

“普济大师就住在前面的小茅屋里，要过去吗？”领路的僧人热心地带着道宣找到普济大师修行的场所。

“我们站在这里就好了，不要打扰他。”道宣站在远远的地方，看见一位身穿旧衣的老僧正安静地打坐，衣服到处是修补过的补丁，却洗得很干净，而小茅屋里除了普济坐着的干草，一只钵和喝水的瓦罐，没有其他任何东西了。

僧人小声地告诉道宣：“普济法师从不躺下来睡觉，讲经说法时，也不说高深的道理，只教我们要好好持戒。”

道宣不禁赞叹说：“像这样的人，真是大家的典范啊！”

走访了许多高僧典范，开阔了道宣的视野，也更加深了他持戒的信心，他的足迹踏遍黄河两岸，更远达长城以外，总共花了五年时间，道宣将高僧们的故事写成了一本《续高僧传》[3]，成为研究中国佛教的重要典籍。

玄奘法师从西方取经回来，成立译场，道宣也受邀参与译经的工作。道宣的声名还远播天竺，连善无畏刚到中国，都跟皇帝提起要向道宣请益，而道宣所提倡的南山律宗[4]，更是中国律宗的最佳代表。

[3]**《续高僧传》**：为唐代道宣作品，又称《唐高僧传》。

[4] **南山律宗**：道宣为南山律宗初祖，因为他久居终南山弘化《四分律》，以此得名。

不能替你做的五件事

大师密码 Mindfulness 活在当下

中国宋朝的道谦在拜大慧宗杲为师前，曾经参访过其他多位名师，希望老师们能帮他开悟，但都没见成效，所以道谦格外期望大慧宗杲能够助他智慧大开。

大慧宗杲也知道，他的学生道谦一生最大的心愿就是希望明白禅法最深的智慧。但是要帮学生开启智慧，可不是说几句话，读几本书那么简单的事。

尤其是道谦太过心急了，满脑子除了开悟这件事，什么事都不想做，任何劝告都听不进去，所以大慧宗杲想出让道谦出远门送信的妙计，让他体会智慧不远求，活在当下的喜悦。

中了计的道谦，终于因此而开窍！

小档案 道谦

- 国籍：中国
- 专长：禅修
- 影响：以禅心启发人
- 事迹：原本一心急求开悟，后因送信体会到活在当下的智慧

满山的竹海，在古木参天的环绕下，像一块翠绿的地毯，铺展在径山重叠的山峦间。

有两位中年僧人正一前一后地穿越竹海，一个胖的，一个瘦的；一个满脸笑容，另一个则是愁眉不展。突然一阵风吹来，整片竹海哗哗地唱起歌来。

走在后面的胖僧人停住脚步，吸了一口新鲜空气，大声对急走在前面的瘦僧人说：“道谦，停一停，你闻这竹子的味道，好清香！”

但道谦却不停止，依然快步前行，不耐烦地丢了一句：“拜托，宗元，竹子有什么好看的呢？快点走吧！一开始就这样慢吞吞的，什么时候才能走到长沙呢？”

看着道谦闷着头一路往前，自讨没趣的宗元只好摸摸鼻子，跟着继续上路。

这一对师兄弟正从浙江的径山准备赶往湖南长沙，想到未来路途还很遥远，道谦嘴里又叨念一句：“师父真是的，不过是送一封信，就叫我走这一趟，白白浪费了我修行的时间。”

跟随大慧宗杲❶禅师已经二十年的道谦，一直还没有开悟，好像就差那么临门一脚，而这一脚却迟迟还不来，这可把道谦给急死了！他认为日常生活中所有的事都变得不重要了，唯一在乎的就只有“开悟”❷而已。

“道谦，今天大伙儿都下田去了，厨房缺人手，你得来帮忙烧饭。”

❶ **大慧宗杲**：宋代临济宗杨岐派僧人。他的“公案禅”与宏智正觉的“默照禅”齐名禅史。

❷ **开悟**：彻底体悟宇宙真相的真理，并认清生死烦恼的原因，永远不再被迷惑。

正准备禅坐，不识相的宗元却叫他去做事，道谦的脸拉得跟马脸一样长：“拜托！我正要打坐呢！烧饭会比打坐重要吗？我出家修行是为了开悟，所以一定要加紧打坐才是。”

好心的宗元不忍心坏了道谦的精进心，只好成全地说：“好吧！那我帮你烧饭吧！”

也没跟人家道谢，道谦就双腿一盘，急着进入了他的禅坐世界，但他内心却是一片纷乱，祖师大德和佛教经典上面所说的开悟境界，在他脑海里绕来绕去，道谦只顾着想这些，以为要到那样的境界才算是开悟，却完全忽略了这一刻自己的领会是什么。

窗外，朝阳换成月色，月色又换成朝阳，山林绿光照耀着恬静，但道谦哪里理会这些，与修行无关的一切，对他来说都是多余的。

宗元不识相也就算了，没想到连师父也来捣乱，竟然叫他去做一件无聊透顶的事。原来湖南长沙张居士捎来一封信，请教一些佛学上的疑问，师父写好了回信，要道谦将回信送给张居士。

道谦接过了信，白皙瘦削的脸上露出一丝为难的表情："啊！现在去长沙？"

师父点点头，也不问道谦的意愿如何，二话不说，把信递给他后，转身就走了，摆明了就是要道谦去长沙一趟。

拿着烫手山芋一样的信，道谦不禁满腹牢骚：“师父根本不管我的修行嘛！不但不帮我点化，还叫我去送信，这漫长的路程要走多久啊？这下子，我的修行功夫一定荒废了！”

路过的宗元，听见道谦的抱怨，跑来安慰他：“师父这样安排一定有道理的，你就好好去送信吧！开悟的事先不急。”

道谦反说：“你是不急，可我不想被耽误！这一来一回的奔波要花上大半年时间，旅途上颠簸难安，叫我怎么修行？宗元，你能不能帮帮我？”

宗元想了想，说：“师父要你去送信，我也不好代劳，这样吧！我陪你走一趟，路上也有个伴儿。”

“好吧！”有宗元同行，总比自己一个人孤零零要好，遇上什么事还有个照应。

于是，两人打理好行李，隔天一早便启程北上。道谦一心想快去快回，不愿被任何事物所牵绊，走了好几天，除了睡觉之外，几乎都在赶路。

之前的竹海早已消失了，眼前出现的是一道淙淙清泉，赶路赶得口渴的宗元提议说：“暂时歇一会儿喝点水吧！”

道谦也累坏了，大口大口地喝着泉水，宗元笑着说：“长途旅程是急不得的，你一开始就横冲直撞，到后来会体力不济的，古人说：‘欲速则不达’，不是吗？”

道谦也明白是自己太心急了，但想到自己放着修行不能修，却在这路上白白消耗体力和时日，不免还是叹了口气：“唉！宗元，不好意思，我只是很想赶快完成任务，然后早点回寺里修行，有什么事比开悟更重要呢？”

正在接水的宗元说：“可是，紧张和心急却无助于修行，修行要像这泉水一样，持续不断地缓缓流动，况且，你认为修行只是在佛寺里吗？”

道谦觉得宗元说得有道理，自己以前也没想过这个问题。一脸迷茫的他，已没有了任何主意：“那你说，我该怎么办才好？”

宗元想了想，说：“这样吧！从现在起到长沙的路上，你只管好好地走，把所有关于开悟的道理，不论是经典上提到的、师父教诲的或是其他禅师所说的，全都放下；包括这二十年来你所有用功打坐的经验，不管是好的坏的，统统不去理会它，路上有什么事也都由我来替你做。只有五件事，你一定得自己来，我不能替你。”

道谦问：“哪五件事？”

宗元回答：“穿衣、吃饭、大便、小便，还有驮着你自个儿的身体在路上走，这些你做得到吗？”

道谦一听，心中顿时感到了从未有过的轻松，说:“这么简单，当然做得到了！”

宗元笑了笑，把手中的水壶交给他:“好啦！你现在可以一个人上路了，我要先回径山了。”

接过沉甸甸的水壶，道谦忽然明白了自己还没有开悟的原因，就是没有简简单单地活在当下，修行最重要的就是在日常生活中，吃饭、穿衣、睡觉，每一个时刻都能全心投入，并领会隐藏在事物背后的奥妙，而不是只有打坐的形式。

果然半年后，道谦从长沙回到径山，师父一看到他整个人焕发出自信的光彩，十分开心地对道谦说:“这回你总算知道什么是修行了！”